D1245599

EL BARCO
DE VAPOR

Manual para corregir a niños malcriados

Francisco Hinojosa

Ilustraciones
de Jazmín Velasco

sm

Hinojosa, Francisco
    Manual para corregir a niños malcriados / Francisco Hinojosa;
ilus. de Jazmín Velasco. – 2a. ed. – México : Ediciones SM, 2016
[reimp. 2018]
103 p. : il. ; 12 x 19 cm. – (El barco de vapor. Naranja ; 63 M)

ISBN : 978-607-24-2074-8

1. Cuentos mexicanos. 2. Humor – Literatura infantil. I. Velasco,
Jazmín, il. II. t.

Dewey 863 H56

*Este libro fue escrito con el apoyo del Sistema Nacional
de Creadores de Arte.*

Texto: Francisco Hinojosa
Ilustraciones: Jazmín Velasco

Segunda edición, 2016
Tercera reimpresión, 2018
D. R. © SM de Ediciones, S. A. de C. V., 2011
Magdalena 211, colonia del Valle, 03100, Ciudad de México
Tel.: (55) 1087 8400
Para conocer SM, su fondo editorial y sus servicios:
www.ediciones-sm.com.mx

ISBN: 978-607-24-2074-8
ISBN: 978-968-779-176-0 de la colección El Barco de Vapor

Miembro de la Cámara Nacional de la Industria Editorial Mexicana
Registro número 2830

Impreso en México / *Printed in Mexico*

A mi madre,
que fue mi primera maestra en
esto de educar a niños malcriados.

A mis hermanos, Laura, Javier y Manuel,
que son protagonistas de varias historias
y a los que a veces tengo que darles terapia;
o mejor dicho: ellos a mí.

● Introducción

De tanto escribir libros para niños, y de tanto estar en contacto con ellos, me he convertido poco a poco en un especialista en la corrección de malas conductas infantiles. Muchos padres desesperados me llaman para pedirme consejos, o me contratan para que ponga en práctica algunos de mis métodos correctivos con sus hijos.

Para mi asombro, me he encontrado con que cada día hay más niños malcriados, caprichosos, flojos, groseros, crueles, desobedientes, sucios, chapuceros, maleducados, pedantes y envidiosos. Y sus papás no saben cómo corregirlos y guiarlos por los caminos de la vida. Por eso me he propuesto escribir este libro: para dejar registro de algunos de los casos más graves con los que me he topado a lo largo de muchos años.

Los padres que se han acercado a mí en este tiempo han encontrado una luz en mis enseñanzas y han podido enderezar las vidas de sus críos. Aunque los honorarios que cobro por mi trabajo profesional son elevados, vale la pena el esfuerzo económico con tal de corregir la conducta de los niños. Pero como no todos pueden pagar lo que pido, he decidido escribir este manual para que mis enseñanzas y mi experiencia iluminen a más personas. Se trata de un libro escrito para los padres. Por eso les conviene que sus hijos no se acerquen a él, pues descubrirían cuáles son las soluciones que propongo a sus malas conductas, y entonces mis remedios perderían efectividad.

También recibo en ocasiones la visita de maestros que no tienen idea de cómo tratar a sus alumnos más traviesos y maleducados. A algunos les gusta enseñar las matemáticas, especialmente el teorema de Pitágoras; a otros, la biología, en particular los nombres de los músculos del cuerpo, como el esternocleidomastoideo; o bien disfrutan la materia de Geografía, siempre y cuando sus pupilos se aprendan las capitales de países como Luxemburgo o Burkina Faso. Sin embargo, en cuanto ven que sus alumnos no se lavan las manos después de ir al baño, tiran la basura fuera del cesto, se sacan los mocos enfrente de sus compañeros, hacen trampa en los exámenes o se van de pinta, no saben cómo reaccionar ni qué hacer para corregirlos. Entonces acuden a mí para que los ayude a solucionar sus problemas.

Reconozco que muchas veces mis remedios pueden ser más dolorosos que una jeringa clavada en la panza después de la mordida de un perro rabioso. Veo los ojos de muchos niños que se clavan en mí con terror y con desprecio, pero casi siempre también con arrepentimiento. De la misma manera, siento las miradas esperanzadas de muchos padres, abuelos, tutores y maestros que confían en mí.

He de decir que no soy psicólogo, médico ni pedagogo. A pesar de eso, todos mis clientes y pacientes me dicen "doctor Hinojosa". Al principio trataba de corregir el error. Ahora no, porque en el fondo, aunque no haya estudiado una carrera que me otorgara tal título, lo cierto es que cumplo con las tareas de un doctor y que mi trabajo es tan importante como el de quien cura un catarro, trasplanta un corazón o compone un brazo fracturado.

Algunos casos muy graves los he podido corregir gracias a mi enorme experiencia. Otros no, como el de Casildita, la niña que mordía las orejas de sus compañeros; o el de Jorge Juan, el chamaco que le cortaba el pelo a su hermano cuando estaba dormido; o Chayo, la joven que escupía en la calle; o Bartolomé, el escuincle que se creía superhéroe… Lo que importa es que hay más de trescientos niños que han abandonado sus malas costumbres gracias a mis métodos correctivos, como Rosita, la mocosa que pintaba las paredes; Panseco, el chaval que eructaba en la cara de los demás, o Jazmín, la niña fresa que no se cortaba las uñas de los pies.

DANTE, EL NIÑO QUE NO COMÍA FRUTAS Y VERDURAS

DANTE ODIABA todas las frutas y todas las verduras. La zanahoria por anaranjada, el brócoli por su olor, el chile porque le picaba, la cebolla por redonda, la lechuga por insípida, el ajo por su sabor, la sandía por sus semillas, el mango por su hueso, la papaya por su nombre, las uvas por chiquitas, el kiwi por ridículo y la guayaba porque sí.

En cambio, adoraba las cosas crujientes, como las papas doradas, los cacahuates garapiñados, los chicharrones de harina, los nachos con queso, los churrumáis, los hipertostis, los retrochetos, las lagrimitas y los turripanes. Además, le encantaba todo lo que supiera a dulce: pasteles, helados de vainilla o chocolate, pirulíes, caramelos de yerbabuena o anís, buñuelos bañados con miel de piloncillo, mazapanes, malvaviscos, gomitas y cocadas.

De vez en vez, cuando no estaba lleno por llevarse a la boca tanta chatarra, comía carne, espagueti, pizzas, tacos y chorizo, pero nada que creciera arriba o debajo de la tierra a partir de una semilla.

Sus padres, Epigmenio y Sarita, me llamaron un día para que los aconsejara sobre la dieta de su hijo: temían que se pusiera muy gordo y que el corazón le empezara a fallar.

Como hacía algunos años yo había escrito un cuento acerca de un chamaco, Amadís, que de tanto comer dulces se había convertido en un niño de dulce y sus compañeros se lo empezaron a comer, sabía que podría encontrarle la solución al problema de los señores Olivera. Les pedí que dejaran a su hijo pasar unas vacaciones de tres o cuatro días conmigo.

Una semana después me llevé al chamaco a una cabaña que tengo situada en un lugar apartado de la montaña. He de confesar que Dante era un niño muy simpático, ocurrente, divertido y listo, aunque también un poco terco y pasado de kilos. Para él compré grandes cantidades de toda la comida que le gustaba, y para mí una buena cantidad de frutas, verduras y especias.

Nos instalamos un jueves por la tarde. Como el viaje había sido largo y los dos teníamos hambre, antes de desempacar me puse a cocinar unas deliciosas calabazas fritas en aceite de oliva y luego aderezadas con unas gotitas de vinagre balsámico, una pizca de ajonjolí, otra más de orégano y sal rosada del Himalaya. Al mismo tiempo, metí al horno un jitomate, al que previamente le quité las semillas y rellené con queso, uvas sin piel, nuez, trocitos de jamón serrano, albahaca, pimienta y sal negra de Hawaii. En seguida me preparé un plato de frutas: arándanos, fresas, moras y ciruelas cubiertas con crema, espolvoreadas con jengibre caramelizado molido.

Dante me veía preparar mi comida con una cara de asco indescriptible. Creía que estaba preparando la comida para los dos, pero estaba equivocado. Puse en la mesa un mantelito, unos hermosos cubiertos de plata y una servilleta.

—¡A comer se ha dicho! Me muero de hambre.

—¿Y yo qué voy a comer? —me preguntó Dante con expresión desconsolada.

—No creas que no he pensado en ti —le respondí, al tiempo que le guiñaba el ojo.

Fui a la cajuela del coche, saqué la comida que le había llevado y se la puse en su lugar: bolsas de todo tipo llenas de cosas que crujen.

—Supongo que no necesitas cubiertos…

Los ojos de Dante se iluminaron en cuanto vieron las bolsas y la sonrisa le regresó a la cara, especialmente cuando descubrió que había incluido un paquete de churritos color anaranjado fosforescente.

Comí justo como me gusta hacerlo: después de cada bocado me río y me pongo a cantar y a decir que es lo más maravilloso que he probado. Dante también estaba feliz: se metía en la boca puñados de harinas crujientes y llenas de grasa, caramelos y palanquetas. Terminamos de comer al mismo tiempo: él, sus cuatro o cinco bolsas de chatarra, y yo, todos mis deliciosos alimentos, salvo una fresa que dejé sobre el plato.

Después de haber manejado durante varias horas y tras una comida estupenda, me merecía una siesta. Así se lo hice saber a mi invitado y me metí en una hamaca. Al despertar encontré a Dante jugando ajedrez en mi computadora. Tal como lo había previsto, la fresa había desaparecido del plato. Si le hubiera preguntado si él se la había comido, estoy seguro de que me lo habría confesado, pues es un niño noble. Sin embargo, mi estrategia era distinta.

—¿Quién se comió mi fresa? —grité con evidente enojo.

Al verme transformado en un ogro, el chico se asustó, y con mucha razón. Hasta a mí mismo me da miedo verme al espejo cuando represento el papel de malvado.

Para continuar con mi plan, dejé libre en la cabaña a una ardilla que había llevado conmigo.

—¿Quién se comió mi fresa? —volví a gritar lleno de furia.

En ese momento, la ardilla saltó hacia una de las sillas del comedor.

—Fuiste tú, ¿verdad? —Mis ojos estaban inyectados de sangre y tenía los puños apretados—. ¡Tú te comiste mi fresa! ¡Me las vas a pagar!

Y acto seguido perseguí a la ladrona hasta que pude atraparla. Le di una buena tunda. La ardilla quedó allí, desfallecida, sin moverse. Dante estaba muy asustado. Iba a llorar cuando me acerqué a él, le tomé la mano y le dije:

—Quiero que sepas que eso les pasa a quienes se roban la comida que no es suya. Esa ardilla no tenía por qué comerse mi fresa, ¿no crees?

He de decir que no me gusta maltratar a las ardillas ni a ningún otro animal. Sin embargo, hay situaciones en las que hago una excepción ya que el daño es menor en comparación con los beneficios que representa. En cuanto vi que Dante salía de la cabaña, tomé a la ardilla y la acaricié, y acto seguido le di un platito lleno de nueces, lechuga, cacahuates y pan con mermelada de zarzamora. Luego la solté para que se internara en el bosque.

A la mañana siguiente se repitió la escena durante el desayuno. Me preparé un delicioso plato de frutas y le di a Dante sus preciadas golosinas. Esa vez no dejé nada sobre el plato, pero noté cómo se le antojaba comer lo mismo que yo. Luego fuimos a dar una caminata por los alrededores.

Como a las dos horas le dije que tendríamos que hacer una parada para descansar. Saqué de la mochila una mezcla de pepino, zanahoria, jícama y piña con jugo de limón, sal y pimienta para mí, y para él una bolsa de frituras, a la que había añadido antes unos pequeños gusanitos, casi transparentes y con un punto negro en uno de sus extremos. Los primeros dos trozos se los llevó a la boca sin reparar en los gusanos. Al tercero, con el rostro aterrorizado, soltó la bolsa y empezó a arquearse con ganas de vomitar.

—¿Qué te sucede, Dante?

—Mi comida está llena de gusanos, ¡guácala!

—No sé por qué te sorprende. A esos gusanitos siempre les ha gustado comer frituras. Algunas veces los puedes ver, como ahora. En otras ocasiones nacen dentro de las panzas de la gente que come esas cosas que tanto te gustan. Se llaman *chatarriños*. Son tan glotones que cuando están dentro de tu cuerpo y no tienen más comida, se comen lo que encuentran a su paso, o sea, pedacitos de estómago o de intestino. Lo que hay que hacer es ir de inmediato al baño para expulsarlos.

—¡Guácala!

—Cuando no son gusanitos, son unas pequeñitas cucarachas que viajan desde la boca hasta los intestinos. Se llaman *cucarasabias*. Pensé que ya lo sabías.

Dante no volvió a comer nada por el resto del día y se pasó casi una hora sentado en el escusado.

A la mañana siguiente, cuando le puse las bolsas de churrifletos y mascarrones en su lugar, me dijo:
—¿Me das de lo que tú vas a desayunar?

CORNELIA, LA NIÑA
QUE DECÍA MALAS PALABRAS

—ERES un sinvertonto, estupicerro y brutufaurio.

Así me recibió Cornelia en la primera entrevista que tuve con ella en mi consultorio. Sus papás acudieron a mí para decirme que la morra —así les dicen a las niñas en Monterrey— no para de insultar a todo el mundo. Cualquier oportunidad es propicia para soltar sus palabrotas. A su mamá porque le pidió que se comiera la sopa, a su hermana porque le tomó prestada una camiseta para dormir, a un compañero porque no la dejó copiar en un examen, o a la maestra porque no le puso una buena calificación. Por todo maldecía a los demás.

Fuera de eso, Cornelia era una niña muy aplicada porque tenía una meta en la vida: sacar las mejores calificaciones, a fin de obtener una beca por un año para estudiar en Canadá, lugar en el que vive su cantante favorito y del cual está perdidamente enamorada.

—Ya no sé qué hacer, doctor Hinojosa —me dijo su mamá con lágrimas en los ojos. He tratado de hablar con ella, de decirle que sus malas palabras ofenden a los demás y que una niña educada no puede ser majadera. Le he impuesto castigos muy duros y no aprende: sigue insultando a quien se le cruza en el camino.

—No sigas, mamá. Deja de decir porquisajadas —dijo la morrita con su cara de bruja joven.

Me puse de inmediato a pensar cómo remendar a la mocosiflaqueta que había hecho el viaje desde Monterrey con su madre para solicitar mis servicios. Hace tiempo escribí un libro en el que un pueblo engañaba a una señora que se portaba mal con todos. Era tan vil que ni sus hijos se salvaban de sus crueldades. Y descubrieron que el remedio era engañarla. Decidí que ese podría ser un buen camino para curar a la niña.

—El plan que tengo es el siguiente —le dije a la mamá en privado—: debo reunirme con los amigos de Cornelia, el resto de su familia, sus maestros y sus compañeros de escuela para indicarles que cuando ella les diga alguna de sus majaderías, su reacción debe ser de agradecimiento.

—¿Y cree que eso funcione?

—Usted confíe en mí.

Una semana más tarde me reuní en Monterrey con los papás de Cornelia, una de sus abuelas y tres compañeras de la escuela.

—Cuando me gritó que yo era una lastisúpida —habló una niña con anteojos redondos—, le dije: "Muchas gracias, querida, qué hermosa voz tienes hoy". Volvió a gritarme *lastisúpida* y me volteó la cara.

—A mí me dijo que yo era una charcamosqueta, pelifasúlida y cucarachinteca —tocó el turno a su abuela—. De inmediato abracé a mi nieta y le dije estas palabras: "Mi preciosa princesa, gracias por ser tan cariñosa". Ella se soltó de mis brazos y salió de mi cuarto echándome otro de sus insultos: "¡Eres una recacapopólica!".

Y así siguieron los relatos de las demás. Al final, la madre de la chamaca grosera me contó que su

hija le había preguntado por qué todos pensaban que caería en sus engaños:

—"¡No estamos en Turambul!", me dijo antes de aventar la puerta y gritarme con todos sus pulmones: "¡Eres una burribrucambécil!".

Me lo temía: la morra había leído mi libro *La peor señora del mundo* y en consecuencia ya conocía el truco. Se me ocurrió entonces cambiar de estrategia. Ya que Cornelia era tan creativa con sus palabras ofensivas, habría que tratarla por igual, pero con otras más dulces y amables también inventadas. Por ejemplo, pritipollita, pumpilasaña, vainiluna…

A casi todos sus compañeros de aula les causó gracia y emoción sumarse a mi propuesta. Lo mismo a su familia. Sin embargo, a la semana siguiente me llamó la mamá de Cornelia para decirme que el nuevo truco tampoco había dado resultado: su hija no paraba de insultar a quien se le pusiera enfrente.

En cuanto colgué el teléfono, me fui a comer unos tacos al pastor. He de decir que cuando como tacos al pastor pienso más claramente y las ideas fluyen en mi cabeza de manera más ordenada. A la segunda mordida del cuarto taco —justo cuando entraban en mi boca la carne, la cebolla, la salsa picante y la piña— se me ocurrió otra estrategia.

Esa misma tarde viajé a Monterrey para entrevistarme con la groserilla. En cuanto me vio me dirigió una buena cantidad de palabrejas insultantes. La dejé que lo hiciera hasta el cansancio. Después de más de diez minutos se detuvo y pude hablarle.

—Cornelia, como bien sabes, tus papás me han contratado para corregir tu mala conducta. Ellos creen que no está bien ofender a los demás, y menos a las personas que más te quieren. Tengo dos posibilidades. La primera es que tú misma decidas dejar de insultar a la gente. Eso depende de ti.

—¿Y si no quiero? —retó en tono burlón.

—Entonces tendré que hacerte una operación de lavado de cerebro.

—Eso no es verdad, me está mintiendo.

—Aquí está la autorización de tus padres. —Le mostré un escrito en el que me permitían hacer la intervención quirúrgica.

LA **G**R

EX O

—Voy a hablar con ellos.

—No conseguirás nada. Es más, me pagaron por adelantado porque estaban seguros de que preferirías la cirugía. —Y le mostré un cheque—. Esta operación consiste en introducir en el cráneo varias agujas a través de las cuales inyecto diversas sustancias. —Extraje de mi maletín dos agujas como de veinte centímetros—. Gracias a ellas podrás olvidarte de decir malas palabras a los demás. Aunque también olvidarás otras cosas; por ejemplo, todo lo que has aprendido en la escuela. Eso significa que tendrás que volver a cursar la primaria.

Me miró con ojos incrédulos. Estoy seguro de que pensó que se trataba de un truco.

—No te preocupes, no te va a doler porque te voy a anestesiar. —Y seguí sacando de mi maletín una jeringa, unos guantes, un tapabocas y un serrucho.

—Está bien, ya entendí.

Por supuesto, Cornelia olvidó al instante todas sus malas palabras.

● ROGELIO, EL NIÑO QUE NO SE QUERÍA BAÑAR

HAY NIÑOS QUE detestan el agua y el jabón, que nunca se quieren lavar los dientes, que tienen mugre bajo las uñas, no se lavan las manos después de ir al baño, no se aguantan antes de echarse un pedo, no les importa oler a podrido y pueden llevar en el pelo, por semanas, un chicle masticado sin que se les ocurra quitárselo.

Pero los hábitos de higiene, por mínimos que sean, son una buena manera de convivir con los demás y de prevenir enfermedades.

El maestro Emiliano, de Oaxaca, me llamó un día para exponerme el caso de un niño con las características referidas. Me explicó que había hecho todo lo posible para convencerlo de que se bañara al menos dos veces por semana pero fracasó en su intento. Citó a sus padres en la

dirección y les dijo que nadie quería sentarse junto a Rogelio en el salón y que por su horroroso olor sus compañeros tampoco se le acercaban en el recreo. Los padres tomaron nota y salieron de la escuela prometiendo que tomarían cartas en el asunto. Sin embargo, al cabo de dos meses nada había cambiado. Rogelio apestaba cada vez más, no se cambiaba de ropa por semanas y tenía el pelo tan sucio que ningún peine le entraba. Por lo demás, el chiquillo era aplicado y sacaba las mejores notas, salvo en Aseo, donde siempre era calificado con un redondito y rojo cero.

Esa misma semana viajé a Oaxaca para entrevistarme con los compañeros del niño sucio. Estas son algunas de las cosas que me dijeron: "Huele a guacareada", "Apesta a caca", "Su ropa tiene nuevas manchas de comida cada día", "Se echa pedos".

—¿Y qué es lo que más le gusta a Rogelio? —pregunté.

—Solo come tortas de aguacate, chorizo y frijol —me dijo el maestro Emiliano—. Todos los días trae una para el recreo, y casi siempre termina con grandes manchas verdes, rojas y cafés en la ropa.

Un niño levantó la mano.

—Le gustan los chocolates. Una vez me vio comiéndome uno y me pidió que le diera un poco.

—¿Y se lo diste?

—Sí: con tal de que no volviera a abrir la boca y echarme su aliento preferí cortar un trozo y dejárselo sobre su banca.

—Ya sé —les dije—. Esta será la estrategia que vamos a seguir para enderezar los hábitos de higiene de su compañero: mañana cada quien traerá una barra de chocolate y las pondremos todas juntas sobre el escritorio del maestro. Cuando Rogelio las vea y se le antojen, le van a decir que se las regalan con la condición de que acuda a la escuela bañado y con ropa limpia.

Todos estuvieron de acuerdo.

Al día siguiente ocurrió lo planeado. Los chicos llevaron los chocolates, armaron una montañita sobre el escritorio y esperaron pacientemente a que Rogelio se acercara a ver qué era aquello.

—¿Puedo tomar uno? —preguntó, dejando escapar de la boca un tufo apestoso, como si hubiera comido estiércol de vaca.

—La verdad, son todos tuyos —dijo el maestro Emiliano—. Tus compañeros te los han traído a cambio de un pequeño favorcito: que mañana te presentes a la escuela bañado y con ropa limpia. ¿Qué dices?

Al día siguiente, Rogelio llegó casi igual que todos los días. Casi, porque tenía en la camiseta una mancha nueva, como si se hubiera untado un poco de mole negro.

De inmediato el maestro Emiliano me llamó al celular. Yo ya estaba en el aeropuerto, listo para mi regreso, cuando recibí la llamada. Al saber que mi plan había fracasado, cancelé mi boleto y volví a la escuela. En el taxi recordé una terapia de disfraces que ya había usado en otra ocasión y que me había dado excelentes resultados. Pedí volverme a reunir con los compañeros del asquerosiniño.

—Vamos a aplicarle a Rogelio una técnica correctiva muy especial que estoy seguro de que no va a fallar. Necesito que me consigan a un amigo que esté dispuesto a disfrazarse. Tiene que ser alguien a quien Rogelio no conozca.

—¿De qué se tiene que disfrazar?

—De vomitada.

En ese momento un niño propuso a su hermano, a quien lo que más le gustaba en la vida era disfrazarse.

—Tráelo de inmediato y dile que venga vestido con la ropa más nueva y más limpia que tenga, como si fuera el mejor día de su vida.

Una hora más tarde se presentó Ramoncito, un niño en verdad muy elegante, a quien le tomé varias fotos. Luego pasé a disfrazarlo: lo bañé de yogurt color rosa con pedacitos de fresa; le eché granola, tierra, ajonjolí, palomitas, granos de elote, el esqueleto de un pescadito, y semillas de sandía, melón y guayaba. Al final le estrellé un huevo en el pelo. Se veía fabulosamente repulsivo. Volví a tomarle fotos.

A la mañana siguiente, que era sábado, me presenté en casa de Rogelio. La impresión que me dieron sus papás fue tremenda: estaban tan sucios como su hijo y apestaban a carne podrida. Algo similar puedo decir de su casa: todo estaba en desorden, con platos de comida sin lavar por doquier, olía a ratón muerto, el piso no había sido trapeado en días, y de las paredes escurría una especie de grasa.

—Vengo de la Secretaría de Salud para llevarme a su hijo —les dije, al tiempo que les mostraba una credencial falsa que llevaba conmigo—. Necesita ser revisado por nuestro equipo médico para saber si tiene la enfermedad de Fuchi.

—¿Y eso qué es? —preguntó la mamá.

—Esta rara enfermedad, descubierta por el doctor Sebastián Fuchi, es muy peligrosa para la sociedad porque puede desencadenar una epidemia mortal. Si su hijo resulta positivo, tendremos que internarlo en su clínica para que lo desapestosee.

—¿Y eso qué es? —preguntó ahora el papá.

Les mostré entonces las fotografías que llevaba conmigo. Primero en la que Ramoncito estaba disfrazado de vomitada.

—Qué guapo —opinó la mamá.

—Como podrán notar —les expliqué—, este niño estaba contagiado del mal de Fuchi. Su aspecto repulsivo apenas se compara con la pestilencia que emanaba de su persona. La Secretaría de Salud se lo llevó a la clínica especializada que tiene el doctor Fuchi, ya que solo en ella tienen el tratamiento adecuado para curar esta enfermedad. Miren cómo es ahora.

Y les mostré las fotografías en las que Ramoncito lucía su bien planchada y elegante vestimenta.

—¿Y qué le van a hacer a Rogelio en la clínica?

—Es muy sencillo. En primer lugar, lo introduciremos a una cámara en la que estará respirando diversas sustancias aromáticas, antes de que las enfermeras le disparen con mangueras fuertes chorros de agua. De inmediato lo trasladaremos a la sala de champú, en la que le lavarán el pelo entre quince y veinte veces con distintos productos químicos para dejar el cabello sedoso. Luego viene el enjabonamiento, que consiste en una tina dotada de los jabones más fuertes que se conocen en el mundo. Sé que le va a doler mucho a su hijo en cuanto vea cómo se le desprenden poco a poco las costras de mugre. Mucha gente grita cuando esto sucede. Más tarde lo llevamos a la limpieza de dientes, orejas, uñas y ombligo. Esta operación dura entre cinco y seis horas. Al final pasa por el cuarto de los perfumes, en el que

nuestros expertos deciden cuáles son los que más conviene usar para lograr su total curación. Es un tratamiento maravilloso y muy eficaz.

En esas estábamos cuando llegó Rogelio. Ciertamente, su aspecto era repulsivo. Me acerqué a él y empecé a examinarlo.

—¿Y este señor quién es? —preguntó asustado.

—Es un doctor que viene a revisarte.

Me puse un tapabocas y unos guantes, le tomé el pulso, le oí el corazón con un estetoscopio, miré con una lamparita el interior de la boca, los ojos y los oídos, y le miré las uñas de las manos. Luego lo olí: percibí una mezcla de brócoli, camarón echado a perder, piña fermentada, orines de gato y gas de cocina.

—Su hijo está muy grave. Mañana por la mañana pasaré con una ambulancia para llevármelo a la clínica del doctor Fuchi. Rogelio es un peligro para la salud pública. Y, por cierto, es muy probable que ustedes también estén contagiados, por lo que veo y huelo. Ya los revisaré después. Que tengan buen día. —Y salí de la casa antes de que me ganara el vómito.

Regresé al día siguiente y el panorama había cambiado. Mamá, papá e hijo estaban irreconocibles: con la ropa limpia, recién bañados y sonrientes. La casa seguía en desorden, pero al menos olía a jabón.

● TENCHO, EL NIÑO
QUE SE COMÍA LOS MOCOS

HE DE CONFESAR que de niño me comía los mocos. Sin embargo, el caso de Tencho me llamó mucho la atención porque su afición a ellos era desmedida.

Los mocos son un producto que las personas arrojamos a diario, especialmente los niños. Son viscosos, saladitos, suaves y, sobre todo, gratuitos. Así como las vacas dan leche, las gallinas dan huevos y los árboles dan frutos, lo único que los humanos producimos que sea comestible son los mocos. Algunos escurren en abundancia, y otros hay que atesorarlos y hacerlos bolita. Son un alimento natural cuando alguien se siente hambriento. Y ni siquiera se necesitan cubiertos para llevárselos a la boca: basta un dedo bien entrenado para saber cómo hurgar dentro de las narices y así obtener el delicioso bocado.

Decía que de niño a mí me gustaba comerme los mocos. Pero solo los míos, y lo trataba de hacer siempre a escondidas porque mis papás decían que era de mal gusto que otros me vieran. El caso de Tencho era distinto: no solo no le daba pena meterse los dedos a las narices enfrente de quien fuera sino que, de vez en cuando, les robaba algún moco a sus hermanos o compañeros. Al principio pensé que se trataba de un problema de mala alimentación, al grado de que el niño necesitaba esa secreción del cuerpo para suplir los nutrientes que no le daban en su casa. Sin embargo, en cuanto sus papás me hablaron acerca de la dieta balanceada que llevaban en las tres comidas diarias, concluí que el verdadero problema era otro y me ofrecí para resolverlo.

Puse en juego todas mis herramientas en la corrección de las malas conductas para ayudar al pobre chico. Todas fracasaron. Y no las cuento aquí porque temo que a muchos padres y maestros les den asco y dejen de contratar mis servicios. Lo único que conseguí fue que Tencho dejara de comerse los mocos de los demás. Pero con los suyos, a pesar de mis esfuerzos para que no se le antojaran, fue inútil. Prefería quedarse sin sus videojuegos durante un mes como castigo, a prescindir de los deliciosos bocadillos que manaban de sus narices.

Unos meses después, el papá del chavo comemocos volvió a llamarme, alarmado, para pedirme un nuevo intento.

—Anoche descubrí que Tencho guardaba en una cajita sus mocos de la mañana para llevárselos al recreo. Tiene que ayudarme, doctor Hinojosa. Esto es asqueroso.

—Señor —le pregunté—, ¿usted nunca se ha comido un moco?

—No, ¿cómo cree?

—Pues lo invito a que lo haga, solo para que sepa por qué su hijo es tan aficionado a ellos. Hágalo. Ahora.

Noté que el señor me estaba mintiendo. Claro que se había comido muchos mocos en su vida. Metió su dedo índice en las narices y rescató uno de buen tamaño. Lo hizo bolita y se lo llevó a la lengua.

—¿Verdad que son buenos?

Sin embargo, mi labor no era convencer al papá de comerse los mocos, sino evitar que su hijo lo hiciera.

Por esos días yo había visto en la televisión un programa en el que hablaban de las propiedades alimenticias de las lombrices de tierra. El nutriólogo al que entrevistaban decía que esos bichos viscosos y grisáceos contienen muchas proteínas y que los antiguos mexicanos se los comían para obtener energía.

Decidí probarlas. Confieso que al principio no me convencieron: eran demasiado dulces para mí. Pero su consistencia me recordó mucho la de los mocos y poco a poco me empezaron a gustar. Me las comía vivas dentro de una tortilla o solas con un poco de limón y sal. Luego se las añadí a los espaguetis y a las ensaladas. Terminé por hacerme muy aficionado a ellas.

Un día me presenté en casa de Tencho a la hora de la comida con una bolsa de lombrices bien seleccionadas: largas, gorditas y jugosas. Mencioné sus propiedades nutritivas y de inmediato entré en materia:

—Son los bocadillos más deliciosos que he comido. ¿Quieres probarlas?

Tencho me miró con desconfianza y rechazó mi oferta. Ese día su mamá había preparado una exquisita ensalada de jitomate, pepino, aceitunas y queso feta, aderezada con un aromático vinagre de frutos del bosque. Me serví mi plato y dejé caer sobre él cinco o seis lombrices. Y como me suele pasar cuando algo me gusta, empecé a cantar y a decir que era lo más delicioso que había probado en mi vida. Los papás de Tencho me veían con malos ojos. El chamaco, en cambio, me miraba con curiosidad. Al cabo de un rato me dijo que también quería probarlas. Tomé su tenedor y le serví un poco de mi ensalada con la última lombriz que me quedaba. Vi cómo sus ojitos brillaban después de haber dado el bocado.

A partir de ese día, el niño comemocos cambió sus hábitos alimenticios. Invertía buena parte de su tiempo libre en atrapar lombrices en el parque. Por las mañanas se las echaba al cereal para ver cómo nadaban en la leche o las ponía en una bolsita para comérselas en el recreo. Y claro, resultó que dejó de comerse los mocos.

ÁNGELA, LA NIÑA
QUE NO ESTUDIABA

CUANDO ME LLAMÓ la mamá de Ángela para decirme que su hija no estudiaba, amablemente le sugerí que acudiera a un tutor o que la metiera a otra escuela. Si atendiera a todos los niños que no estudian, no tendría tiempo ni para lavarme los dientes. Yo solo trato casos que en apariencia no tienen solución.

—Es que usted no entiende, doctor.

—¿Qué es lo que tengo que entender?

—Pues que Angelita es la mejor de su escuela. Saca las mejores calificaciones sin estudiar, ¿comprende?

—Claro que comprendo, su hija debe de ser muy buena para copiar en los exámenes.

—Tampoco se trata de eso. Sus maestros también están sorprendidos porque saben que sin estudiar saca puros dieces, y nunca la han descubierto copiando en un examen.

—Pues creo que debería estar orgullosa en vez de llamarme para corregirla.

—Déjeme hablarlo con usted personalmente. Es más grave de lo que se imagina.

Le di cita para el día siguiente y me quedé pensando: ¿por qué una madre se preocupa por el hecho de que su hija sea la mejor estudiante de su escuela y quiere que eso cambie? Una vez conocí a un chico que era el jugador estrella de su equipo de basquetbol y su entrenador se quejaba de que nunca iba a los entrenamientos.

—Si es el mejor sin necesidad de entrenar —le dije—, déjelo así. Si lo pone a hacer lo que el resto del equipo, quizás pierda su capacidad de encestar la pelota y se vuelva un jugador mediocre.

Regresando a Ángela, junto con ella acudieron a la cita ambos padres, Tarsicio y Catalina. Se trataba de una niña de apariencia normal, tal vez un poco flaquita, con grandes ojos muy negros. Después de los saludos de rigor, lo primero que hice fue cuestionar a mi futura paciente:

—12 por 34.

—408 —me respondió de inmediato y sin pestañear.

—Se la puso muy fácil —dijo Tarsicio.

—408 por 732.

—298 656. —Tardé más yo en sacar mi celular, abrir la calculadora y hacer la multiplicación que la chiquilla en responderme.

Como pensé que tenía una mente matemática, así como hay niños que tienen evidentes aptitudes para sacarle una nota a un violín a la primera porque tienen una mente musical, decidí continuar mi examen por otro lado.

—¿Sabes quién inventó el microscopio?

—Galileo.

—Póngaselas más difíciles —insistió Catalina.

—¿Qué significa la palabra *ósculo*?

—Beso.

—¿Quién escribió *Las desventuras del joven Werther*?

—Goethe: Johann Wolfgang von Goethe.

—*Wer liebst du am besten: deine Mutter oder dein Vater?*

—*Beide gleich.*

—Por último, dime cuál es la capital de Argentina.

—Buenos Aires.

—¿Y en qué parte del planeta está Argentina? —le pregunté, desesperado por no saber cómo seguirla poniendo a prueba.

Ángela dudó un poco y me respondió:

—En Europa, creo que cerca de Italia.

¡Por fin! ¡Un error! Eso me llevó a pensar que la chamaca genio tenía algún problema de tipo geográfico. Les pedí a sus padres que me dieran un poco más de tiempo para solucionar el problema. Y, por supuesto, me puse a estudiar todos los manuales de psicología que tenía a mi alcance y a consultar con algunos amigos especialistas en desórdenes mentales. Sin embargo, no descubrí nada que pudiera ayudarme. Iba a llamar a los papás de Ángela para decirles que me daba por vencido cuando Catalina llegó a mi consultorio sin previa cita. Me dijo que le urgía que le ayudara cuanto antes porque estaban por mudarse a Alaska.

—Es que así es nuestra vida, nos la pasamos viajando de un lado a otro por el trabajo de mi esposo.

—¿Cuántas veces se han cambiado de casa?

Me dijo que Ángela había nacido en Chihuahua, pero que a los dos meses se fueron a vivir a Houston, lugar en el que permanecieron seis meses antes de irse a Estocolmo, donde vivieron tres meses porque tuvieron que viajar a Sidney, Australia. Y luego siguieron una gran cantidad de mudanzas. Conté treinta y dos lugares en los que había vivido Ángela, y apenas tenía doce años.

Entonces comprendí todo: la niña genio tenía un grave problema de desubicación.

—Si quiere que su hija se cure —miré fijamente los ojos de la madre—, quédense a vivir aquí al menos dos años seguidos. Es la única solución que se me ocurre a su problema. Y no me pague nada hasta que esté todo resuelto.

Un año y medio después, la señora Catalina me llamó para decirme que me habían depositado en mi cuenta una cifra más alta de lo convenido porque su hija al fin estaba curada.

—Y lo dejo, doctor, porque ahora mismo nos vamos a celebrar que Angelita sacó un promedio de 7.4 en la escuela.

• TOMASITO, UN NIÑO CRUEL CON LOS ANIMALES

TOMASITO acababa de cumplir once años y su mamá le regaló un gato de cumpleaños. Ese mismo día, Tomasito se subió a la cama, lo dejó caer y luego le pisó la cola. En cuanto su mamá abrió la puerta del cuarto, el pobre animalito salió disparado dando maullidos de dolor y no regresó nunca más a la casa.

Doña Gertrudis, madre del cruel chamaco, me llamó para que le ayudara a enderezar el mal comportamiento de su hijo. Tomasito era un niño que sacaba buenas calificaciones en la escuela, cooperaba con las labores del hogar, se cepillaba los dientes después de cada comida sin que se lo recordaran, cuidaba con mucho cariño a su hermano menor y era buen deportista. Podría decirse que era un niño modelo, de esos que cualquier padre puede presumir con las visitas.

Su maestra me contó una historia parecida. El Verde, como llamaban todos a Tomasito en la escuela gracias a que a veces se pintaba un mechón de pelo de ese color, era un alumno ejemplar. Además de sacar buenas notas, solía ayudar a sus compañeros con la tarea, era el capitán del equipo de futbol y llegó a sacar el primer lugar en la olimpiada de matemáticas de la ciudad. El director del colegio me dijo que creía que se trataba de un niño genio.

Su problema era otro: el Verde desquitaba toda su furia contra los animales. Cuando me entrevisté con él me contó que le gustaba cazar lagartijas para cortarles la cola y ver cómo se seguían moviendo sin el cuerpo de su dueño, que les echaba sal a los caracoles para ver cómo se iban haciendo espuma, que juntaba todo tipo de bichos (hormigas, cucarachas, lombrices, moscas, escarabajos) para echarlos en agua hirviendo, que mataba pajaritos con su resortera y que una vez pintó con aerosol rosa a un perro recién nacido, entre muchas otras

crueldades que solía propinarles a los animales con que se topaba.

—Su hijo necesita una terapia de choque —le dije a doña Gertrudis.

—¿Y eso qué es, doctor Hinojosa?

—Usted déjeme a mí, que soy un experto en corregir las malas conductas.

Decidí que para Tomasito lo indicado era aplicar la curación de la serpiente, que ya había usado en otros casos, aunque nunca tan graves como el suyo.

Fui con un conocido mío, un especialista en reptiles, para que me prestara alguno que fuera inofensivo, pero que al sentirse atacado clavara sus colmillos en su presunto atacante. Me dio una víbora a la que llamaba *mambrillo*, que no inyecta veneno a sus víctimas: solamente deja la huella de sus dos diminutos colmillos. Medía como un metro y era de color plateado con rayas amarillas. A cada rato sacaba su lengua bífida y me miraba sin entender por qué la consentía tanto.

Por la noche llegué a casa de doña Gertrudis con la víbora dentro de mi mochila. Me invitó a tomar un café y luego le pedí que se fuera a dormir y dejara el caso en mis manos. Me metí al cuarto de Tomasito, que ya estaba profundamente dormido. Le quité la sábana de encima, saqué a la mambrillo y la puse sobre su panza. Luego le di un pequeño golpe al reptil, suficiente para que se sintiera molestado y clavara sus delicados colmillos en el niño. El grito fue horroroso. Salí corriendo de la casa antes de que doña Gertrudis reaccionara por los lamentos de su hijo.

Sucedió lo que esperaba. De inmediato me llamó al celular para decirme, horrorizada, que había una serpiente venenosa en su casa y que de seguro había mordido a su hijo. Aunque en realidad yo estaba a la vuelta de la esquina, tardé como quince minutos en llegar. Ella estaba asustada y no se atrevía a abrir la puerta de la habitación, en la que su hijo seguía gritando. Entré con seguridad, vi a la víbora enroscada en un rincón del cuarto, la tomé con las manos y les dije:

—Oh, es raro encontrar en la ciudad a este tipo de serpientes. Es una de las más venenosas que se conocen en el mundo.

—¡Me voy a morir! ¡Me voy a morir! —gritaba Tomasito.

—¡Se va morir! ¡Se va a morir! —gritaba su mamá.

—Voy a ver la herida —les dije, y pasé a revisar los dos puntitos rojos que la mambrillo había dejado en la panza del niño.

—¿Se va a morir?

—¿Me voy a morir?

—Esta serpiente, llamada mambrillo, no siempre inyecta el veneno cuando muerde. Al parecer, Tomasito le cayó bien, ya que solo le clavó los colmillos. Seguramente este animalito se escapó de algún serpentario, se las arregló para llegar aquí y al pasar por el cuerpo del niño este hizo un movimiento reflejo que lo asustó.

Acto seguido le eché un poco de alcohol en la herida y la sobé con una cáscara de papa.

—Si te hubiera inyectado su veneno presentarías otro tipo de síntomas, como sentir que te ahogas, llenarte de ronchas o quedarte ciego.

—¡Mi hijo se va a quedar ciego! ¡Oh, no puede ser!

—Yo no he dicho eso. Déjenme platicarles más acerca de este reptil. Los indios tahahori consideran que la mambrillo es una especie de diosa de los reptiles. Cuenta la leyenda que solo se aparece cuando alguna persona maltrata a un ser del reino animal. Entonces visita al cruel personaje y le clava sus dos afilados colmillos como advertencia. Si tal persona persiste en su conducta, la víbora vuelve a hacerse presente, pero esa vez sí le inyecta su mortal veneno. Y entonces sí, la víctima pierde la vista, se ahoga, vomita, se llena de ronchas y finalmente muere en medio de terribles dolores.

Nunca olvidaré las caras de asombro de madre e hijo mientras les contaba la leyenda tahahori.

Un año después, doña Gertrudis me llamó para contarme que Tomasito tuvo durante algunos meses fuertes pesadillas que lo despertaban a mitad de la noche. También me dijo que el niño tenía ahora un perro al que cuidaba con esmero.

• PANCHO, EL NIÑO QUE MOLESTABA A SUS HERMANOS

PANCHO TIENE TRES hermanos: Lorelén, Aniceto y el Güerito. Los cuatro suelen convivir en paz casi siempre y les dan pocos problemas a sus papás, salvo las veces en que el hijo mayor hace sus crueldades y se arma el pleito entre los cuatro.

La historia es esta. Un día recibí una llamada de Lorelén a mi consultorio para agendar una cita. Me dijo que quería contratar mis servicios. Me sorprendió escuchar la voz de una niña al otro lado del teléfono.

He de decir que han llegado a mi consultorio clientes muy extraños. Como aquella vez que me dejaron en la puerta una pelota de futbol desinflada. Al abrirla con una navaja me encontré dentro de ella, además de unas cuantas monedas, un mensaje en el que se acusaba a Álex de dedicarse a ponchar los balones de los otros niños en el Parque España. Rápidamente solucioné el caso y no tuve ningún otro interlocutor que la pelota. Ella era mi cliente.

Otro fue el caso de un profesor de Matemáticas que quería que lo ayudara a no dormirse en clase. Le dije que yo solamente me dedicaba a curar a niños maleducados. Al día siguiente llegó vestido de niño, con un chupón en la boca y un babero de bebé en el pecho. Me dio tanta gracia que accedí a darle un remedio para corregir su mal.

—Doctor Hinojosa —me dijo Lorelén—, una amiga mía me contó que usted ayudó a su familia para que su hermano mayor ya no la molestara tanto. A nosotros nos sucede algo parecido con mi hermano Pancho. Todo el tiempo se porta muy cruel con nosotros si queremos jugar con él o entrar a los clubes que se inventa.

—¿Tus papás saben que me estás llamando?

—No, doctor, por nada del mundo. Si ellos se enteran de que le llamé me van a poner una buena regañada y un peor castigo. Y es que resulta que Pancho es su consentido. Casi nunca nos creen que nos haga tales maldades. Mis hermanos y yo hemos ahorrado un poco para poder pagarle. Juntamos cuarenta y dos pesos y tres bolsas de parqueflitas.

En cuanto oí que Lorelén me ofrecía tres bolsas de parqueflitas no lo dudé: tenía que resolver el caso. Las parqueflitas son unas deliciosas paletas de chocolate cubiertas con una capa de malvavisco, luego con otra más de chocolate, y bañadas con una lluvia de estrellitas de azúcar plateadas y rojas. Son una delicia. De niño era lo que más me gustaba. Muchas veces lavé todas las ventanas de mi casa con tal de que mis papás me dieran dinero para comprar mis paletas. Y desde entonces no las había vuelto a probar. Con tan solo escuchar la palabra *parqueflitas* se me hizo agua la boca. Por esa razón acepté de inmediato el caso de Panchito.

—¿Y se puede saber dónde conseguiste las parqueflitas?

—Con gusto le digo dónde conseguirlas, doctor, siempre y cuando nos ayude a calmar a Pancho.

La cité en el consultorio esa misma tarde para que me contara con más precisión cuáles eran sus quejas.

Llegaron los tres niños: Lorelén, de unos doce años; Aniceto, de once, y el Güero, de nueve. La jovencita tenía dos colas de caballo, usaba diadema y tenía una mirada profunda, como si supiera muy bien qué piensan los demás. Aniceto, a quien sus hermanos también le decían Cheto, tenía el pelo largo y muy lacio, usaba unas gafas redondas, y todo el tiempo quiso participar en el relato. El más pequeño tenía bien ganado el apodo: su pelo dorado le caía sobre los hombros; aunque no habló mucho, su sonrisa delataba que se estaba divirtiendo con la situación.

—Un día —contó Cheto—, mientras nosotros veíamos la televisión, Pancho se puso a bolear sus zapatos en el baño con una tinta líquida. Al rato escuché que me llamaba.

—Cheto fue al baño —continuó Lorelén— y se encontró con que la tinta se había derramado sobre el tapete. ¿Y qué cree que hizo Pancho?

—Llamó a mi mamá y le dijo que yo había tirado el frasco. Me regañaron a mí por lo que él hizo —intervino Cheto—. Fue muy injusto. Pero también hace a cada rato unos clubes geniales

—continuó, al tiempo que se sorbía los mocos—. Hace como dos meses se puso a coleccionar insectos en el jardín de mis abuelos.

—Los agarraba, luego los ponía en cajitas y anotaba su nombre en un papelito —añadió Lorelén.

—Yo encontré en el parque un escarabajo —dijo el Güerito— y se lo di para su colección. Le pedí que me dejara ayudarlo, pero me dijo que para entrar a su club necesitaba pasar varias pruebas.

—Cheto y yo también quisimos entrar al club.

Me contaron que Pancho los sometió a distintas y difíciles pruebas para ser aceptados. Los puso a beber tres litros de agua para después pedirles que dieran diez vueltas corriendo al parque. Al final los acostaba y ponía la oreja en su estómago para escuchar el movimiento del agua. A esa prueba le siguieron otras, igualmente absurdas y crueles: se disfrazaron con la ropa de sus papás y salieron a la calle, se treparon a un árbol que tenía espinas, cantaron quince veces afuera de su casa una canción que él había compuesto, se bañaron en la fuente del parque y se comieron uno de sus inventos (un taco de huevo con mermelada, salchicha y crema de cacahuate). Al final, cuando los tres habían pasado las pruebas, Pancho les dijo que su club ya no existía y que había tirado su colección de insectos a la basura.

—Creo que ustedes tendrán que ayudarme a corregir a su hermano —les dije mientras saboreaba una parqueflita—. Ahora entre los tres van a fundar un club al que él quiera entrar y le aplicarán unas pruebas que yo mismo idearé, para que se dé cuenta de lo mal que ha hecho con ustedes.

—¿De qué hacemos el club?

—Como veo que a Pancho le interesa coleccionar cosas, hagan ustedes una colección. ¿Qué les parece, por ejemplo, hacer un museo de las cosas más feas que conozcan?

Al Güerito se le iluminaron los ojos. Lorelén y Cheto dejaron de oírme porque seguramente ya estaban eligiendo mentalmente qué objetos incluir en su museo.

—Cuando tengan una buena cantidad de cosas feas, pónganlas en un lugar vistoso, arréglenlas muy bien e inviten a sus amigos y familiares a conocerlas. Y les sugiero que cobren la entrada. En cuanto

Pancho quiera unirse a su colección, le dirán que tiene que pasar por unas pruebas. Mañana mismo se las daré por escrito. ¿Están de acuerdo?

Dos semanas después, un sábado, los tres chamacos me invitaron a conocer el museo. Habían recolectado cosas feas en su casa, en la calle y en la escuela. Muchos de sus amigos, en cuanto se enteraron de su colección, aportaron más objetos desagradables. Entre otras cosas, había una corbata anaranjada llena de corazoncitos azules, unos calcetines verde aguacate con agujeros en los talones, un cenicero dorado con el logotipo de una marca de pañales, un pisapapeles de un paisaje urbano que al agitarlo simula que está nevando, una rebanada de pan llena de hongos verdes, un chango esculpido en un coco, un personaje del cine construido con conchas marinas, una alcancía con forma de bailarina de ballet, y muchas otras cosas horrorosamente feas.

Lorelén me dijo que al día siguiente empezarían las pruebas para Pancho, que durante ese tiempo hizo todo lo que pudo con tal de ayudar en la creación del museo. Sus hermanos no se lo iban

a permitir, claro, a menos que se sometiera a las condiciones que yo había impuesto.

El miércoles siguiente, mientras me comía lentamente la última parqueflita, recibí una llamada.

—¿El doctor Francisco Hinojosa?

—El mismo. ¿En qué puedo ayudarlo?

—Habla el papá de Panchito —su voz no se oía nada amigable—. ¿Puede decirme en qué cabeza enferma cabe obligar a mi hijo a untarse la cara con frijoles refritos para ir a la escuela?

—Déjeme explicarle…

—Parece un niño —me dijo, y colgó el teléfono.

Creo que el papá de los cuatro hermanos tenía algo de razón.

MARCELO, EL NIÑO QUE SE HACÍA PIPÍ EN LAS ALBERCAS

Es CIERTO que resulta muy difícil detectar quién se hace pipí en las albercas. Si les preguntara a mis lectores si alguna vez lo han hecho, de seguro me confesarían que sí, muchas veces. Y es altamente probable que también hayan tragado alguna vez un poco de ese líquido que contiene agua, cloro y, por supuesto, orines variados.

El problema con Marcelo es que le gustaba tanto meterse en las albercas, nadar de un lado a otro, subirse al trampolín y echarse clavados que nunca quería salirse, ni siquiera cuando le daban ganas de orinar. Sus papás le pedían que fuera al baño cuando tuviera la necesidad y no repartiera sus meados en el lugar donde la gente nadaba. Pero a Marcelo no le importaban los demás: le

encantaba sentir cómo el pipí se mezclaba con el
agua pura de las piscinas, y no estaba dispuesto a
abandonarlas, ni por unos instantes, para ir al baño.
Ya era demasiado el suplicio al que lo sometían
sus padres: le prohibían meterse al agua antes de
que pasaran dos horas después de haber comido
(aquí he de decir que a mí me sucedía lo mismo:
mis hermanos y yo nos la pasábamos con el reloj
en la mano esperando que pasaran esas dos largas
horas porque nuestros padres estaban convencidos

de que si no lo hacíamos nos daría una congestión y acabaríamos ahogados en el fondo).

El tratamiento que le apliqué a Marcelo ya lo había usado en otras ocasiones. Les pedí a sus papás que pusieran en su jugo o refresco dos gotitas de una solución que yo había inventado: tres cucharaditas de postatimato de sodio, una de cúrcuma, otra más de extracto de betabel y algunas vitaminas disueltas en ocho mililitros de agua. Esta fórmula hace que el pipí se pinte de anaranjado al contacto

con el agua, y así, cuando alguien se orina en la alberca es fácilmente descubierto.

—¿Y eso no le hace daño al estómago? —me preguntó su papá.

—Todo lo contrario, señor Bustamante: le va a ayudar a tener mejor digestión y le fortalecerá las células del cerebro. Además, mi fórmula contiene vitaminas A, C, E, J y Z.

—¿Vitamina Z?

—Sí, la consumen mucho los deportistas para lograr mayor elasticidad en los músculos.

Aunque no muy convencido, el padre de Marcelo me pagó la consulta y el elevado precio del frasquito con el remedio. Al mes siguiente me volvió a llamar:

—Doctor Hinojosa, su fórmula surtió el efecto que me había descrito. Pero ahora resulta que mi hijo se divierte cada vez que sale esa mancha anaranjada debajo de su traje de baño. Por más que todas las personas que están en la alberca se salgan de ella con caras de enojo y lo señalen por meón, a él no le importa. Es más: le gusta tener la alberca para él solo.

—Tendré que aplicar otro remedio, un poco más drástico y que aún está en etapa experimental.

Desde hacía unos meses me había puesto a trabajar en el laboratorio con una fórmula que disolviera cierto tipo de telas al entrar en contacto con la orina, como si estuvieran fabricadas con pastillas efervescentes. Hice un traje de baño a la medida de Marcelo con esa fórmula y se lo entregué a su papá.

—¿No le parece excesivo el precio del traje? —me preguntó en cuanto le di la cuenta.

—Corregir las malas conductas de los hijos suele costar mucho. Además, piense que solo lo va a usar una vez, porque el traje se va a deshacer en cuanto su hijo se haga pipí con él puesto.

Una semana más tarde el señor Bustamante me llamó para decirme que el remedio había funcionado. Marcelo se metió a la alberca y a los pocos minutos se meó. En vez de la mancha anaranjada que esperaba, empezaron a salir burbujitas y su traje de baño se disolvió en instantes. Al chamaco le dio tanta pena que ya no quiere volver a nadar nunca en su vida.

● LEIDI, LA NIÑA
QUE DESAFIABA EL PELIGRO

HACE AÑOS conocí a Mila, una princesa, no de esas que salen en los cuentos, sino una princesa de verdad, hija de la duquesa de Bulgraquia. El encuentro se dio gracias a que un amigo mutuo nos presentó en una exposición fotográfica. En cuanto ella supo que yo me dedicaba a enderezar las vidas de niños malcriados, me contó sobre una amiga suya y su hija, que desafiaba constantemente el peligro. Me dijo que por más que sus padres la prevenían acerca de las consecuencias de sus desafíos, la niña seguía retando al destino: se subía a los árboles más altos, se metía descalza a fuentes públicas en las que seguramente había vidrios que pudiera pisar, cruzaba las calles sin fijarse, se vendaba los ojos para recorrer la casa a tientas. En fin: era una chamaca a la que le gustaba creer en su buena suerte. Pensé que alguien como ella quizá podría ser torera o trapecista de grande.

Un mes más tarde me llamó la mamá de Leidi, a quien mi amiga princesa le había dado mi número de teléfono. Platicamos largo rato hasta que me contrató para corregir a su hija. Me pagó el boleto de avión a Bogotá, donde vivían.

Hice unos cuantos arreglos en mi agenda y volé dos días después. Antes de entrar en materia, me invitó a comer en su casa un delicioso platillo llamado *ajiaco*, que consiste en una sopa con varios tipos de papa triturada, aguacate, pollo, elote, alcaparras y una yerbita de sabor ahumado, deliciosa, llamada *guasca*. Leidi no nos acompañó pues estaba en casa de una amiga suya. Al terminar de comer, con dos tazas de un exquisito café colombiano frente a nosotros, la mujer me dijo que temía mucho por la vida de su hija, dada su propensión a correr riesgos.

—Es tan atrevida, doctor, que me da miedo que algún día ruede por las escaleras y se rompa la cabeza.

—Vamos empezando por allí —le propuse—. Hoy mismo, cuando Leidi regrese de casa de su amiga, dígale que es muy peligroso no fijarse por dónde camina porque puede terminar rodando hasta abajo. De inmediato, para comprobar que usted tiene razón, tire sus juguetes por la escalera para que vea qué sucede con ellos.

Esa misma noche la señora me llamó al hotel.

—Doctor Hinojosa, hice lo que usted me dijo. ¿Y sabe cuál fue la reacción de Leidi? Se metió a su cuarto y tomó otros juguetes para lanzarlos ella misma por la escalera. Al parecer le encantaba ver cómo se hacían pedazos y saltaban los tornillos, los resortes, las cabezas de sus muñecas, las ruedas de sus patines, todo.

Como pensé que mi lección podría fallar, tenía un plan B en mente.

—Solo le advierto que el tratamiento que le voy a aplicar a Leidi es un poco caro.

—Con tal de que la corrija, pagaré lo que sea.

Le di un número de cuenta para que me depositara el dinero y quedé de llamarle en una semana. Investigué muy bien qué compañías de teatro había en la ciudad y me decidí por una de jóvenes. Después de varios días de preparativos y ensayos, pedí que llevaran a Leidi a una sesión de personas que habían desafiado el peligro en la que contarían sus experiencias. Para ello, contraté un pequeño salón en un hotel que llené con amigos de la compañía teatral.

El primero en pasar al frente fue un joven actor al que vendamos de piernas y brazos, y llevamos en una silla de ruedas. Para darle más dramatismo, la maquillista le dibujó en la cara unas feas cicatrices.

—A mí siempre me ha gustado subirme a los árboles y trepar por las bardas de las casas. Mi padre me decía que si alguna vez me caía me iba a romper los huesos. Y así fue. Hace una semana me trepé a un poste de luz para ver qué había del otro lado de una casa. Estaba como a la mitad cuando pisé mal y fui a dar al piso. El dolor fue horroroso. Nunca en mi vida había sentido algo tan feo como lo que sentí ese día. Los doctores no saben si pueda volver a caminar. Y además de todo, he dejado a mis padres endeudados porque tienen que pagar los gastos del sanatorio.

Leidi escuchó todo con atención. No pude notar en ella una sola muestra de sorpresa o susto ante lo que estaba presenciando. Por el contrario, se le veía tranquila y con una ligera sonrisa en los labios.

La segunda en pasar fue una muchacha a la que le pusimos una bata de hospital. La acompañaba una enfermera que sostenía un frasco de suero conectado al brazo de la supuesta paciente. La maquillista también hizo su trabajo y le dio a su piel un tinte morado.

—Me gustan los animales, especialmente los venenosos: las víboras, las arañas, los alacranes, las avispas. Puedo meterme a un serpentario y pedir que me dejen jugar con las víboras. Me gusta atrapar alacranes y tarántulas y jugar con ellos cuando voy a la finca de mis abuelos. Resulta que hace casi un mes me encontré una viuda negra, que es una araña muy bonita, negra y con un punto en la panza. Aunque la tomé con precaución, el bicho me picó. Les puedo jurar que el dolor que sentí fue tan intenso que me desmayé. Me encontraron en el suelo, como una hora después, y me llevaron al médico. El veneno llevaba mucho tiempo en mi cuerpo y, por más que me inyectaron no sé cuántas cosas, he tardado más de un mes en recuperarme. De ahora en adelante la voy a pensar dos veces antes de meterme con animales ponzoñosos.

Le siguieron a ella otros cuatro actores que expusieron sus casos. El último, creo, fue el que más impresionó a Leidi. Se trataba de un joven que contó cómo sus padres le habían advertido de lo peligroso que es no fijarse al bajar las escaleras. Para comprobarlo, le mostraron con sus juguetes lo que podía pasar si no obedecía, tal y como la mamá de Leidi lo hizo con la niña. El muchacho también reaccionó como ella: echó sus otros juguetes y vio, divertido, cómo se deshacían en pedazos.

—Dos semanas después de que eso pasara —concluyó el actor—, mi abuelita se cayó por las escaleras por no fijarse. Desde entonces está en el hospital y ya no puede caminar.

En cuanto terminó de hablar, Leidi se puso de pie y empezó a aplaudir. Se le veía muy entusiasmada y divertida. Su mamá no lo podía creer. Me miró con ojos de interrogación.

Al día siguiente hablé con ella para reconocer que había fracasado en mi intento por corregir la conducta errónea de su hija. Y como admito que no siempre consigo mis propósitos, le ofrecí regresarle el dinero que ella había invertido. Y así lo hice: deposité en su cuenta de cheques lo que me había dado.

Tres años después volví a tener noticias de Leidi. Me llamó por teléfono su madre para ponerme al tanto:

—Doctor Hinojosa: una disculpa por llamarle hasta ahora, pero he estado muy ocupada. Le cuento que mi hija, poco tiempo después de su tratamiento, se olvidó de su atracción por el peligro. En cambio, en cuanto terminó aquella sesión de presentaciones en el hotel decidió que el rumbo que tomaría su vida sería la actuación. Por las tardes, después de la escuela, se metió a estudiar en una academia de teatro. Mañana empieza a rodar una película en la que ella será la actriz principal.

JUANITA, LA NIÑA QUE SE APARTÓ DEL CAMINO

LA DESOBEDIENCIA es una de las principales causas de desgracia en los niños. Los rebeldes que no obedecen a sus padres suelen sufrir las consecuencias, como aquel niño que no hizo caso de la orden de su madre, que le pedía que no se trepara a un árbol: el jovencito no quiso oír la voz de la experiencia, cayó de una alta rama y se rompió el brazo. O como aquella niña a quien su padre ordenó que se lavara las manos antes de comer. La desobediente muchacha se sentó a la mesa con las manos sucias; a la mañana siguiente le dio una extraña enfermedad en la piel y una semana más tarde cayó en cama. También es famosa la historia de Juan Esteban, un niño de dos años que no obedeció a su mamá cuando ella le pidió que dejara de llorar; como no pudo hacerlo, el pequeño se ahogó en sus propias lágrimas.

Juanita había sido una niña obediente hasta que cumplió diez años. Un día, su mamá le pidió que le llevara a su abuelita, que vivía al otro lado del pueblo, unos pastelitos que acababa de cocinar, así como una cajita con unas joyas que le había prestado y que hasta entonces no había tenido la oportunidad de regresarle. Estaba muy enferma como para llevárselas ella misma.

—Pero debes irte por la avenida principal. Y no quiero que te distraigas o que te pares a hablar con nadie. ¿Está claro?

Juanita asintió con la cabeza, se puso su gorra roja de beisbolista, tomó la canasta con los pastelitos y la caja con las joyas y salió a la calle. A la mitad del camino, mientras cantaba en voz baja una canción y correteaba tras una mariposa, se le acercó un señor:

—Niña, ¿podrías decirme qué hora es?

—Sí, señor: las doce y quince.

—¿Y se puede saber a quién le llevas esos deliciosos pastelitos?

—A mi abuela.

—¿Y qué llevas en esa cajita?

—Unas joyas que mi madre le tiene que devolver a mi abuela.

—¿Y exactamente dónde vive tu abuela?

—En una casita al otro lado del pueblo. Está junto al pozo de agua. ¿Lo conoce?

—Claro que lo conozco. Si te vas por esta avenida vas a tardar mucho en llegar. Lo mejor es hacerlo por la orilla del río.

—Creo que tiene razón, señor, así lo haré.

Y la niña, desobedeciendo las órdenes de su madre, cambió de rumbo. Mientras tanto, aquel hombre con el que se había topado tomó la avenida principal a paso veloz y llegó antes a la casa habitada por la vieja. Llamó a la puerta y fingiendo la voz de la nieta dijo:

—Soy yo, abuela, vengo a traerte unos pastelitos que te manda mi mamá. Y también las joyas que le habías prestado.

Aunque le dio la impresión de que la voz no se parecía mucho a la de Juanita, la mujer pensó que a esa edad las niñas empiezan a tener algunos cambios.

—La llave está en la maceta. Tómala y abre la puerta.

El señor hizo lo indicado, y apenas entró a la casa amenazó a la viejita, que estaba acostada en la cama, con matarla si no le entregaba todo su dinero. Y así sucedió. En cuanto el hombre recibió las monedas, los billetes y dos tarjetas de crédito, le tapó la boca con una cinta, encerró a su víctima en el clóset y se metió bajo las sábanas.

Al rato llegó Juanita.

—Soy yo, abuela, vengo a traerte unos pastelitos que te manda mi mamá. Y también las joyas que le habías prestado.

—La llave está en la maceta. Tómala y abre la puerta.

Juanita entró a la casa y vio a su abuela en la cama con las cobijas tapándole casi toda la cara.

—¡Qué rara voz tienes hoy!

—Es que estoy un poco ronca.

—¡Y tus ojos cambiaron de color!

—Es que me puse unas gotitas.

—¡Y tu pelo ya no está blanco!

—Es que ayer me lo pinté de negro.

—¡Tú no eres mi abuelita!

—Pues claro que no —dijo el hombre quitándose las cobijas—. Entrégame los pastelitos y las joyas.

El señor hizo con la niña lo mismo que había hecho con la vieja, y las dos terminaron encerradas en el clóset.

Mientras tanto, yo había decidido ir a visitar a la mamá de Juanita para platicar, ya que estaba de paso por el pueblo en el que vive y hacía mucho tiempo que no sabía de ella. La encontré muy preocupada. Me dijo que su hija se había ido a hacerle un mandado más de tres horas antes y que ya debía estar de regreso. Me ofrecí a ir a buscarla.

Caminé sobre la avenida principal hasta llegar al pozo de agua. Al lado estaba la casa que mi amiga me había indicado. Toqué el timbre varias veces sin que nadie respondiera del otro lado. Le pedí a un leñador que pasaba por allí que me prestara su hacha para derrumbar la puerta. Y así lo hice. Al entrar me encontré con que un hombre dormía profundamente en la cama. A su lado estaba la canasta de los pastelitos totalmente vacía. Con ayuda del leñador, le até las manos con un cable que encontré en la cocina y le eché encima un vaso de agua fría. El tipo despertó muy aturdido y confesó su crimen. Luego fui al clóset a sacar a la niña y a su abuela. En cuanto les quité la cinta de la boca, las dos me agradecieron que las hubiera rescatado. Las senté en las sillas del comedor y las regañé.

—¿Cómo es posible que a su edad —le dije a la viejita— permita la entrada de un extraño en su casa?

—Es que… —trató de defenderse, pero no la dejé.

—Le voy a decir a su hija que no le vuelva a mandar más pastelitos. No merece que la traten tan bien. Y en cuanto a ti —miré a la niña—, te pondré un castigo ejemplar por haber desobedecido a tu madre. Todos los días vas a caminar de tu casa a la de tu abuela por la avenida principal hasta que te conozcas el camino de memoria. Regresaré en tres meses y te haré un examen para comprobar que me has hecho caso. Y para terminar —me dirigí a la nieta y a la abuela—, las dos tendrán que leer todos los cuentos de hadas que existen. ¿Está claro? Todos.

Regresé tres meses después para saber si Juanita había cumplido con la tarea impuesta. Tras hacerle un examen para comprobar que se conocía de memoria el camino de su casa a la de su abuela y que había leído con atención los cuentos de hadas, me dijo:

—El que más me gustó fue el de la Caperucita Roja. Merecía que se la comiera el lobo por no obedecer a su mamá, ¿no crees?

ÍNDICE

TE CUENTO QUE FRANCISCO HINOJOSA…

… llegó a la literatura infantil por accidente, pues solo escribía porque se lo encargaban. Claro, de eso hace muchos, muchos años. Con el tiempo se fue dando cuenta del impacto que tenían sus historias en los niños, y lo exigentes que son como lectores, lo que ocasionó que quisiera seguir escribiendo, siempre con el el juego y el humor como ingredientes.

Nació en la Ciudad de México en 1954. Estudió la carrera de Lengua y Literaturas Hispánicas en la Universidad Nacional Autónoma de México. Ha impartido talleres en diversos países y es uno de los autores más destacados de literatura infantil y juvenil en lengua española. Sus libros se han traducido al inglés y al portugués.

En SM también están publicados *Manual para corregir adultos malcriados* y *Las gallinas de mi abuelo*.

TE CUENTO QUE JAZMÍN VELASCO…

… nació en Guadalajara, donde estudió Diseño Gráfico e Ilustración. Unos años después se mudó a Londres, donde estudió multimedia. Hace cerámica y sigue ilustrando libros. Forma parte de la Sociedad de Grabadores en Madera y es maestra en la Escuela Bild Wek-Frauenau. Sus obras están expuestas en varias galerías en el Reino Unido.

José Guadalupe Posada es su más grande inspiración, pues es el padre del grabado en México. Pero su amor artístico más profundo pertenece a Saul Steinberg.

Ha ilustrado otros libros de SM, como *Espejos, mocos, cucarachas… y otras pócimas curiosas*, *De los pies apestosos a las papas fritas… y otras curiosidades* y *Calambres, balones, escupitajos… y otros secretos futboleros*. Practica artes marciales taoístas.

Manual para corregir a niños malcriados
se terminó de imprimir en julio de 2018
en Natosa Impresores S.A. de C.V.
ubicados en Cjon. Hidalgo Mz. 16, Lt. 9c,
Col. San Miguel Iztapalapa, Del. Iztapalapa,
c.p. 09360, Ciudad de México.
En su composición se emplearon las fuentes
Unit Rounded, Augereau e ITC Officina Sans.